Puzzles Arbeitsblätter für den Kindergarten (Ein farbiges Arbeitsbuch für Kinder von 4 bis 5 Jahren - Vol 1)

Ein farbenreiches Aktivitätsbuch für Kinder im Vorschulalter von Dr. James Manning

PASSWORT FÜR BONUSBÜCHER FINDEN SIE AUF SEITE 12.

Die Webadresse für die herunterladbare Version dieses Buches finden Sie unter

BONUSBÜCHER - Details zum Herunterladen auf der Website

https://www.pdf-bucher.com/product/1/
https://www.pdf-bucher.com/product/2/
https://www.pdf-bucher.com/product/3/
https://www.pdf-bucher.com/product/4/
https://www.pdf-bucher.com/product/5/
https://www.pdf-bucher.com/product/6/
https://www.pdf-bucher.com/product/7/
https://www.pdf-bucher.com/product/8/
https://www.pdf-bucher.com/product/9/
https://www.pdf-bucher.com/product/10/
https://www.pdf-bucher.com/product/11/
https://www.pdf-bucher.com/product/12/
https://www.pdf-bucher.com/product/35/
https://www.pdf-bucher.com/product/36/
https://www.pdf-bucher.com/product/37/
https://www.pdf-bucher.com/product/38/
https://www.pdf-bucher.com/product/39/
https://www.pdf-bucher.com/product/40/
https://www.pdf-bucher.com/product/41/
https://www.pdf-bucher.com/product/42/
https://www.pdf-bucher.com/product/43/
https://www.pdf-bucher.com/product/46/

Platziere die fehlenden Felder an die richtigen Stellen

1   2   3   4   5

Schreibe hier deine Antworten auf

A   B   C   D   E

Platziere die fehlenden Felder an die richtigen Stellen

Schreibe hier deine Antworten auf

A	B	C	D	E

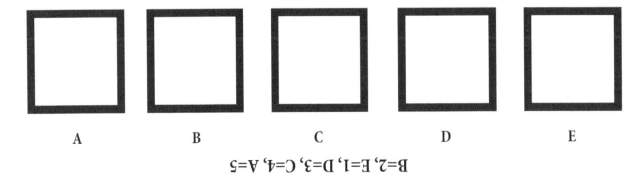

B=2, E=1, D=3, C=4, A=5

Platziere die fehlenden Felder an die richtigen Stellen

1   2   3   4   5

Schreibe hier deine Antworten auf

A   B   C   D   E

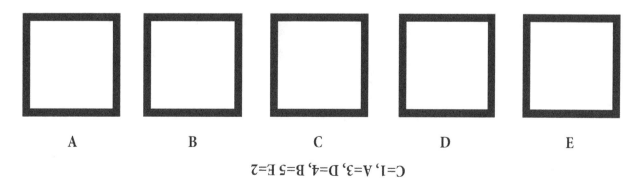

C=1, A=3, D=4, B=5 E=2

Platziere die fehlenden Felder an die richtigen Stellen

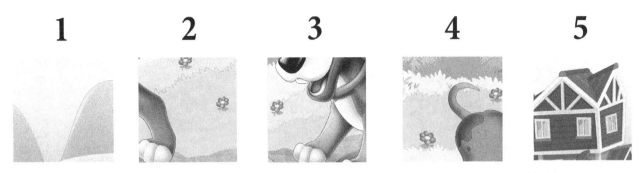

Schreibe hier deine Antworten auf

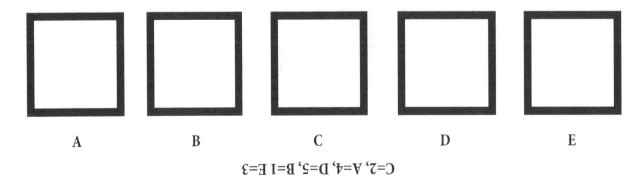

| A | B | C | D | E |

Platziere die fehlenden Felder an die richtigen Stellen

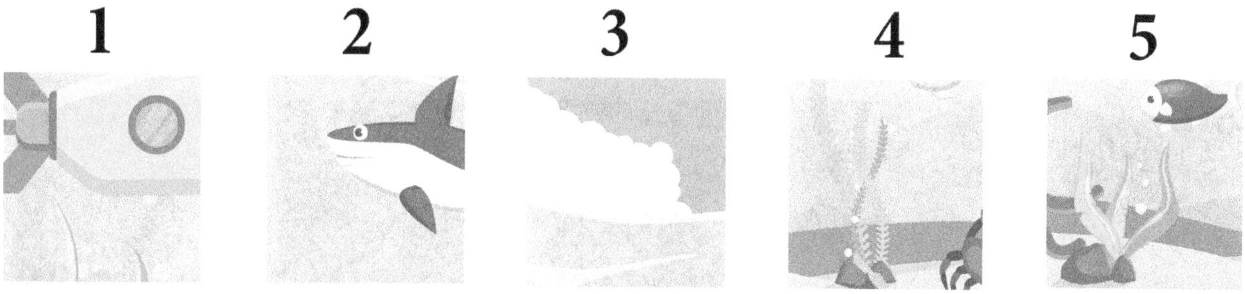

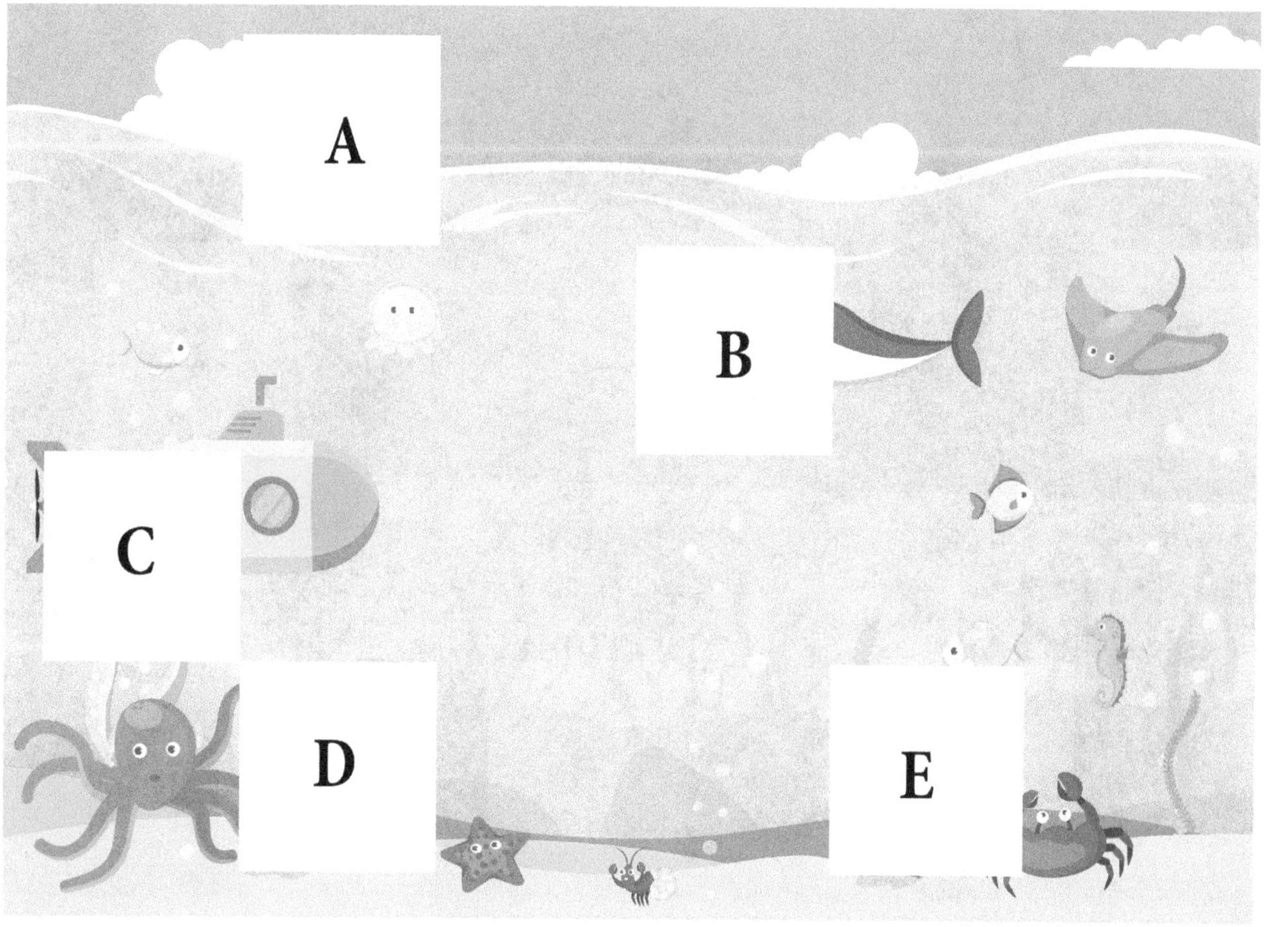

Schreibe hier deine Antworten auf

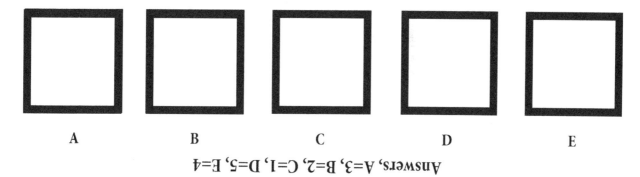

A	B	C	D	E

Answers, A=3, B=2, C=1, D=5, E=4

Platziere die fehlenden Felder an die richtigen Stellen

Schreibe hier deine Antworten auf

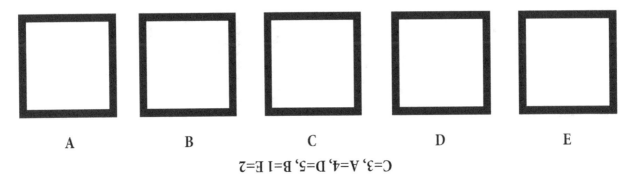

Platziere die fehlenden Felder an die richtigen Stellen

1   2   3   4   5

Schreibe hier deine Antworten auf

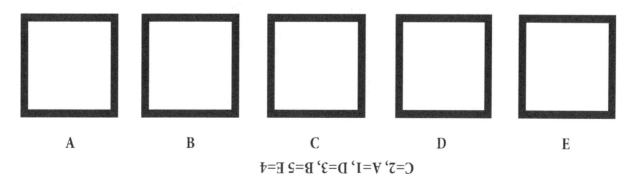

A   B   C   D   E

C=2, A=1, D=3, B=5 E=4

Platziere die fehlenden Felder an die richtigen Stellen

1	2	3	4	5

Schreibe hier deine Antworten auf

A	B	C	D	E

Platziere die fehlenden Felder an die richtigen Stellen

1   2   3   4   5

Schreibe hier deine Antworten auf

A   B   C   D   E

C=5, A=3, D=4, B=2, E=1

Platziere die fehlenden Felder an die richtigen Stellen

1   2   3   4   5

Schreibe hier deine Antworten auf

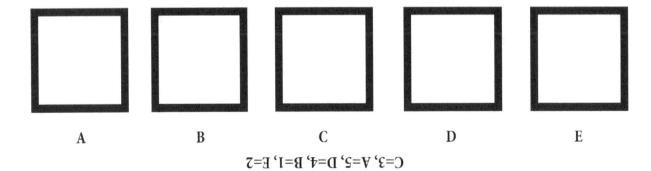

A   B   C   D   E

C=3, A=5, D=4, B=1, E=2

Platziere die fehlenden Felder an die richtigen Stellen

Schreibe hier deine Antworten auf

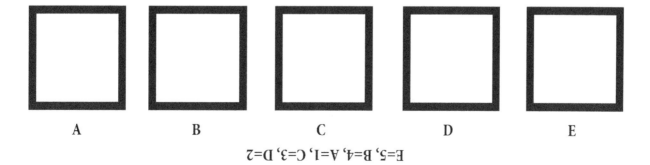

E=5, B=4, A=1, C=3, D=2

Platziere die fehlenden Felder an die richtigen Stellen

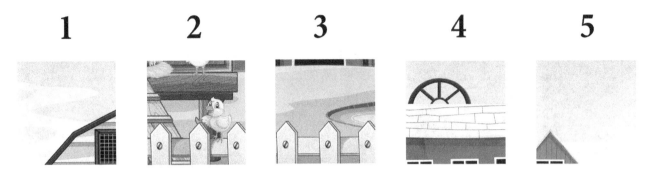

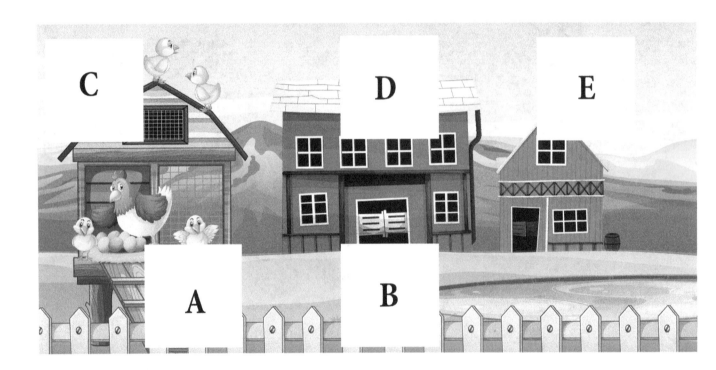

Schreibe hier deine Antworten auf

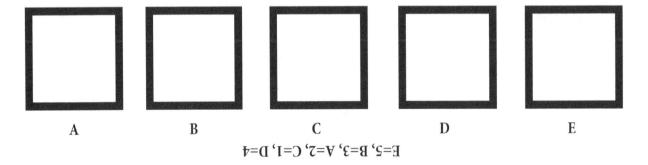

A   B   C   D   E

E=5, B=3, A=2, C=1, D=4

Platziere die fehlenden Felder an die richtigen Stellen

1   2   3   4   5

Schreibe hier deine Antworten auf

A	B	C	D	E

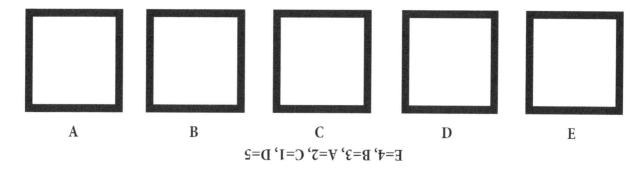

E=4, B=3, A=2, C=1, D=5

Platziere die fehlenden Felder an die richtigen Stellen

1	2	3	4	5

Schreibe hier deine Antworten auf

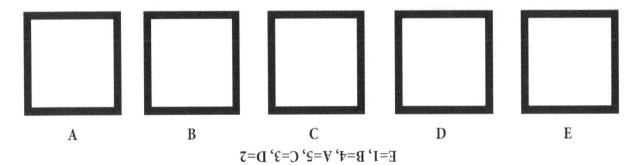

A	B	C	D	E

E=1, B=4, A=5, C=3, D=2

Platziere die fehlenden Felder an die richtigen Stellen

1 2 3 4 5

Schreibe hier deine Antworten auf

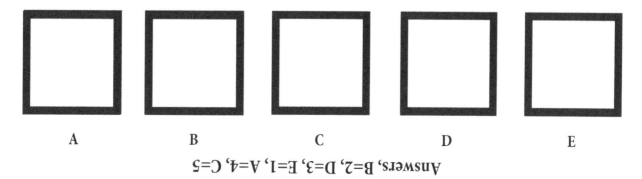

A B C D E

Platziere die fehlenden Felder an die richtigen Stellen

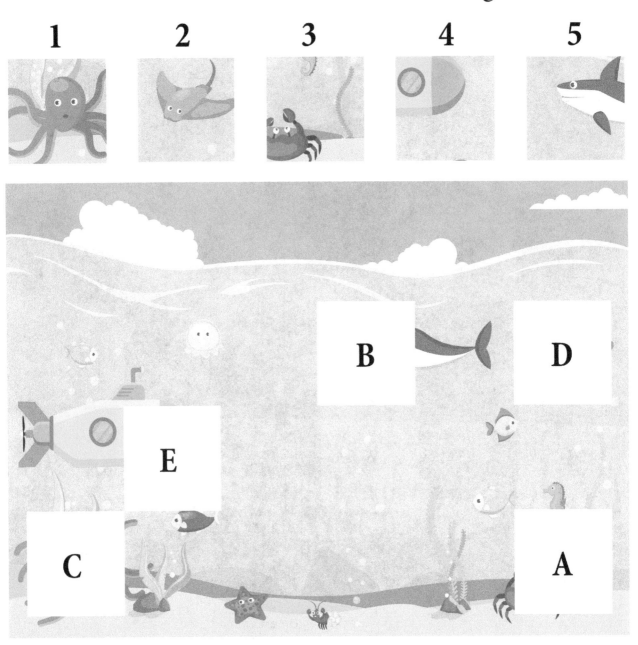

Schreibe hier deine Antworten auf

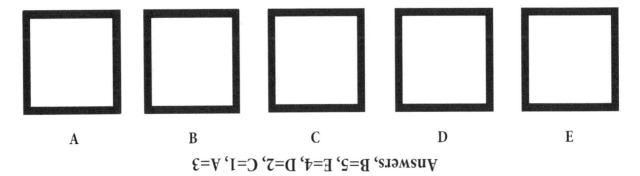

Platziere die fehlenden Felder an die richtigen Stellen

1 **2** **3** **4** **5**

Schreibe hier deine Antworten auf

A	B	C	D	E

Platziere die fehlenden Felder an die richtigen Stellen

1   **2**   **3**   **4**   **5**

Schreibe hier deine Antworten auf

A   B   C   D   E

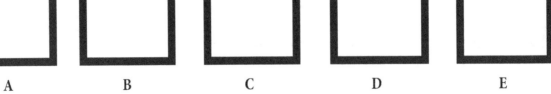

Platziere die fehlenden Felder an die richtigen Stellen

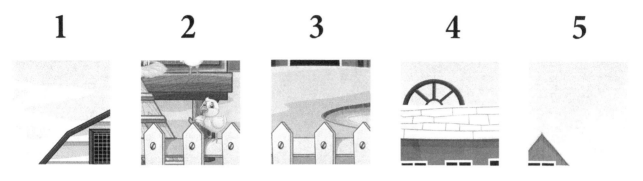

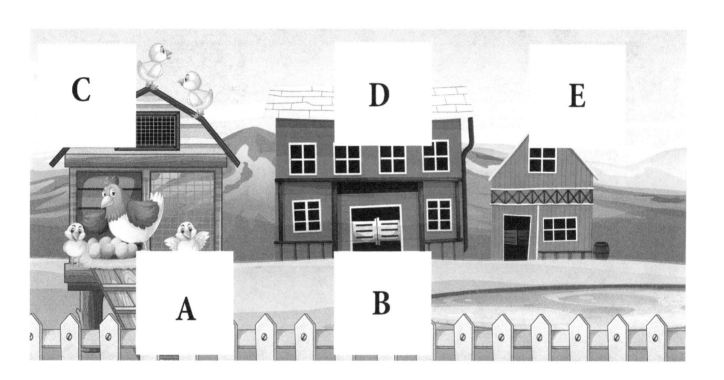

Schreibe hier deine Antworten auf

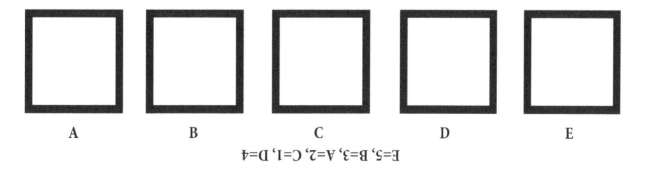

A B C D E

Platziere die fehlenden Felder an die richtigen Stellen

Schreibe hier deine Antworten auf

A   B   C   D   E

E=5, B=4, A=1, C=3, D=2

Platziere die fehlenden Felder an die richtigen Stellen

Schreibe hier deine Antworten auf

A	B	C	D	E

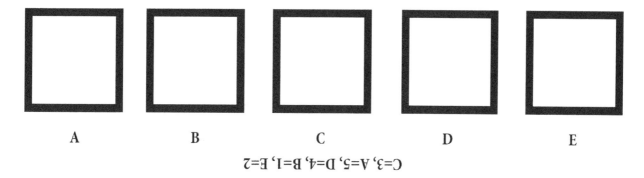

Platziere die fehlenden Felder an die richtigen Stellen

1

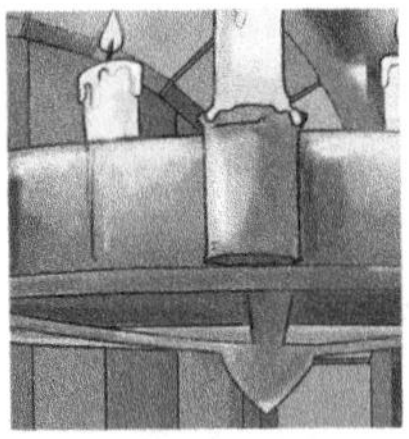

2

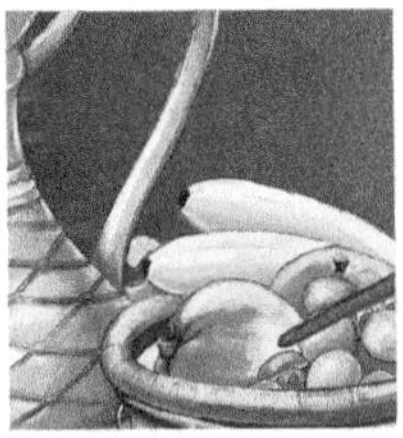

3

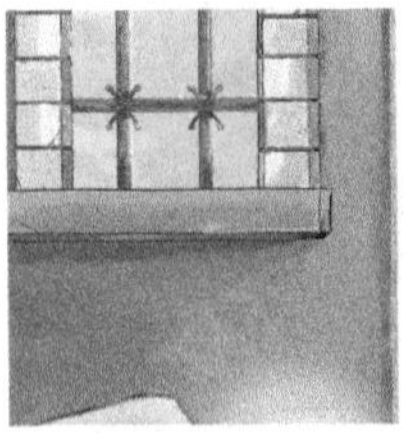

4

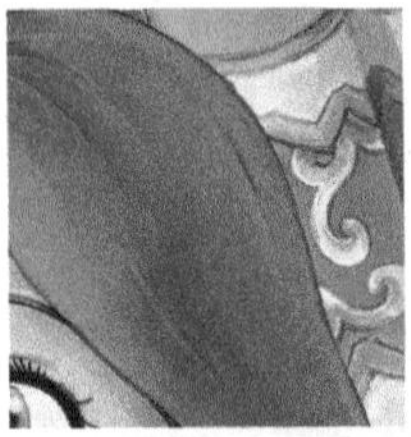

5

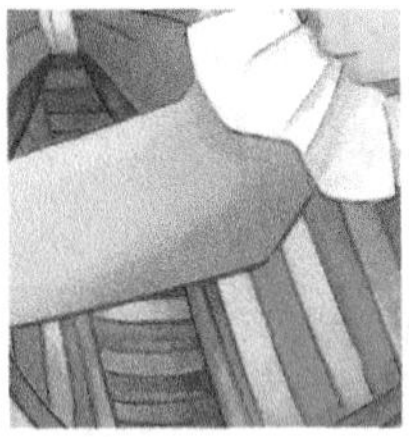

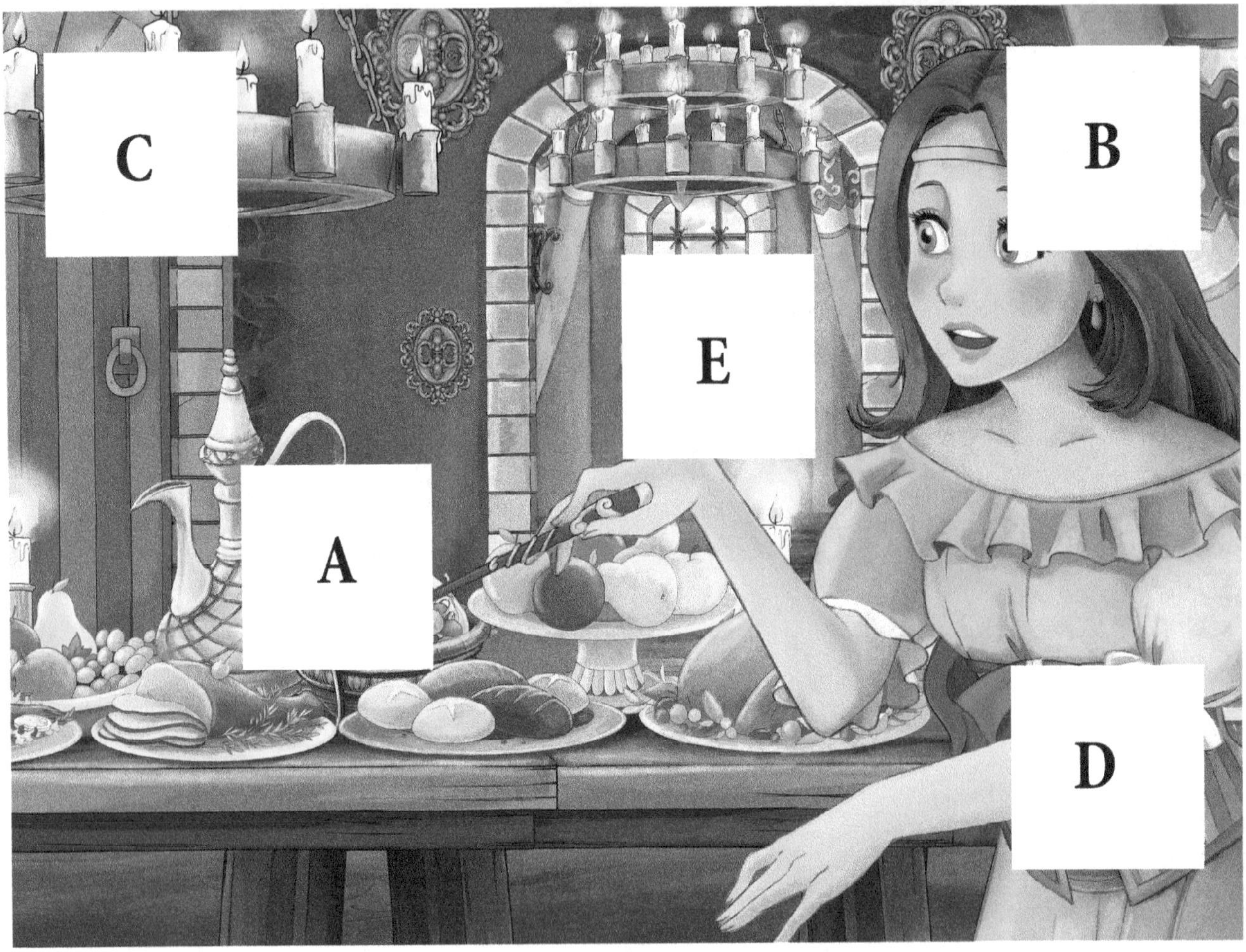

Schreibe hier deine Antworten auf

A B C D E

Answers, B=4, E=3, D=5, C=1, A=2

Platziere die fehlenden Felder an die richtigen Stellen

1	2	3	4	5

Schreibe hier deine Antworten auf

A	B	C	D	E

Platziere die fehlenden Felder an die richtigen Stellen

1   2   3   4   5

Schreibe hier deine Antworten auf

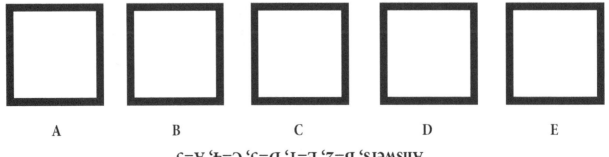

A   B   C   D   E

Platziere die fehlenden Felder an die richtigen Stellen

1 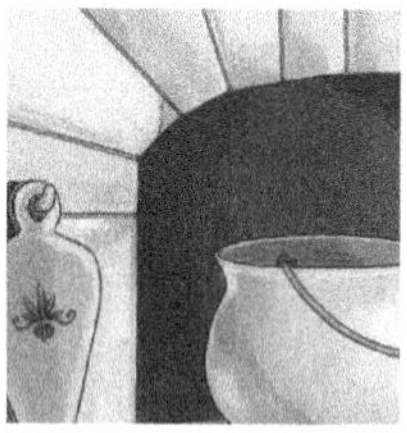

2 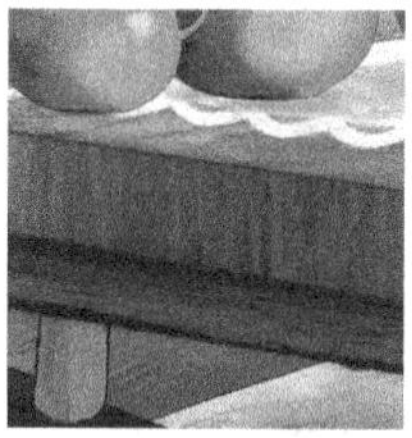

3 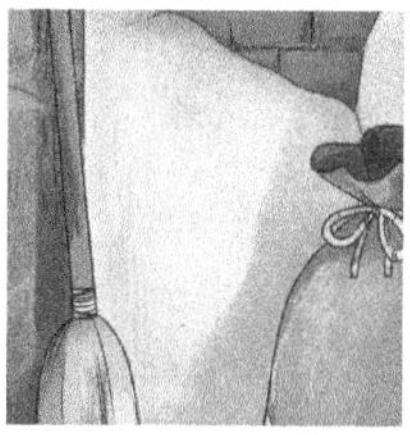

4 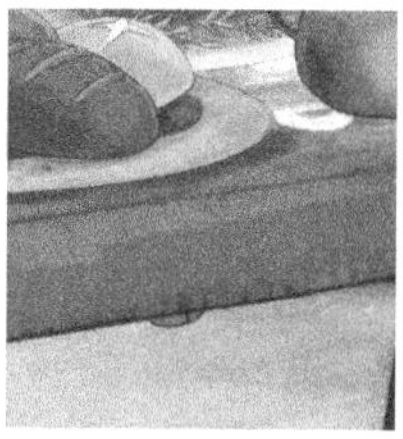

5 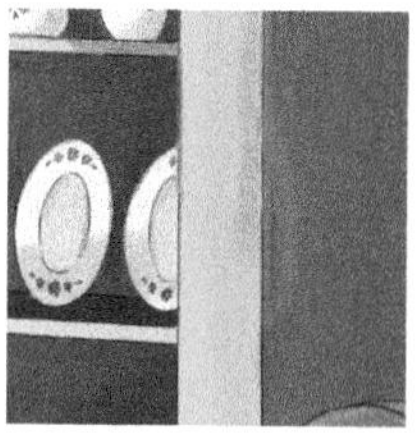

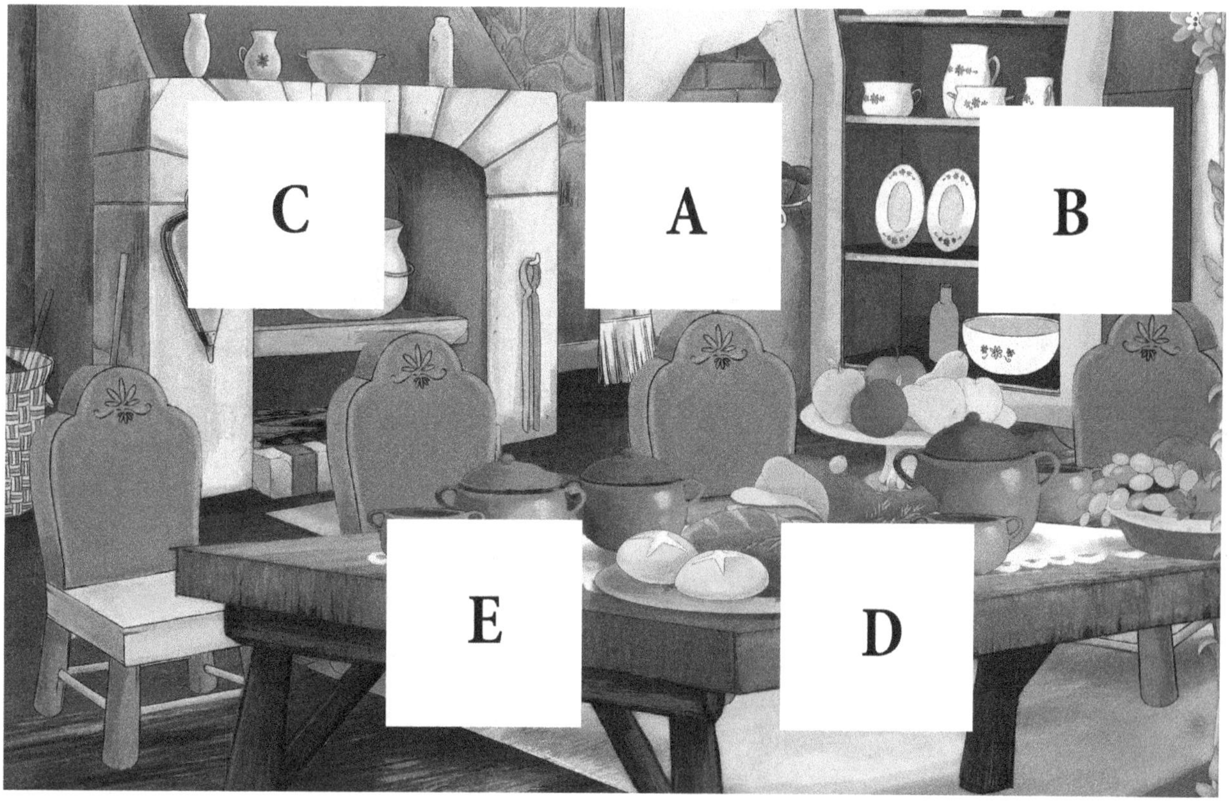

Schreibe hier deine Antworten auf

A B C D E

Answer C=1, A=3, D=4, B=5 E=2

Platziere die fehlenden Felder an die richtigen Stellen

1   2   3   4   5

Schreibe hier deine Antworten auf

A   B   C   D   E

Platziere die fehlenden Felder an die richtigen Stellen

Schreibe hier deine Antworten auf

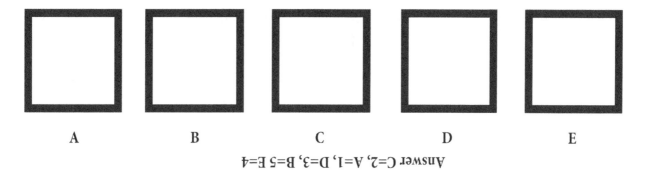

| A | B | C | D | E |

Platziere die fehlenden Felder an die richtigen Stellen

1   2   3   4   5

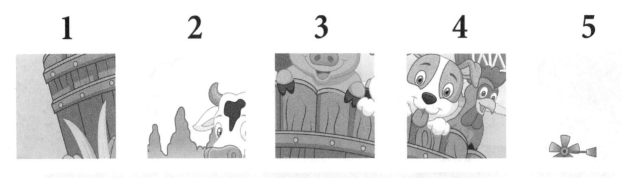

Schreibe hier deine Antworten auf

A   B   C   D   E

Platziere die fehlenden Felder an die richtigen Stellen

1	2	3	4	5

Schreibe hier deine Antworten auf

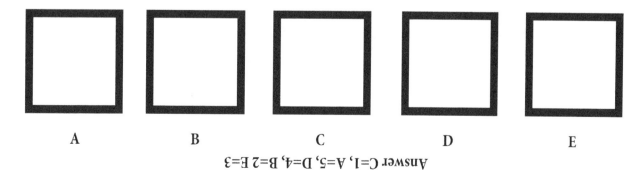

A	B	C	D	E

Platziere die fehlenden Felder an die richtigen Stellen

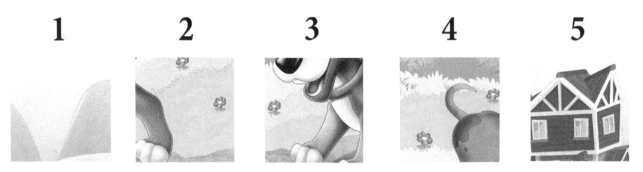

Schreibe hier deine Antworten auf

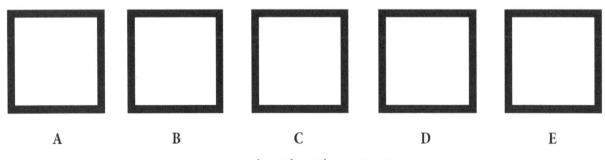

A	B	C	D	E